¿POR QUÉ...

LOS RAYOS Y LOS TRUENOS?

¿POR QUÉ...
LOS RAYOS Y LOS TRUENOS?
POR: HÉCTOR CAMPILLO CUAUTLI
ILUSTRACIONES: ALFONSO ORVAÑANOS ALTAMIRANO
PRIMERA EDICIÓN, 1989
TERCERA REIMPRESIÓN DE LA PRIMERA EDICIÓN, OCTUBRE 1997
Derechos reservados conforme a la ley por © 1989 FERNÁNDEZ editores, s.a. de c.v. Eje 1 Pte. México Coyoacan 321, Col. Xoco. Delegación Benito Juárez. 03330 México, D.F., (MÉXICO). Miembro No. 85 de la Cámara Nacional de la Industria Editorial Mexicana. Se terminó de imprimir esta obra el día 24 de octubre de 1997 en los talleres del editor.
1 Th--ISBN 970-03-0061-7

IMPRESO EN MÉXICO — PRINTED IN MEXICO

FERNÁNDEZ editores

Uno de los fenómenos más impresionantes de la naturaleza es la tempestad. Al ímpetu de la lluvia debe agregarse el estruendo causado por los rayos y la luz de los relámpagos; con ello, muchas personas padecen de miedo intenso.

Todo cuanto se mueve y se transforma lo hace gracias a la energía; una gran cantidad de ésta se genera durante las tormentas.

Para mejor comprender esto, conviene tener a la mano un par de imanes de hierro colado.

Para comenzar, prime-
ro debemos saber
qué cosa es el rayo: su
causa es la electricidad,
una corriente invisible,
cuyos efectos percibimos
en forma de calor, frío,
luz y otras manifestacio-
nes de la energía.

Tomemos dos imanes.

Un imán es, generalmente, una barra de hierro capaz de atraer metales. Esta propiedad se llama *magnetismo* y está concentrada en los extremos llamados *polo positivo* (+) y *polo negativo* (—). Los polos contrarios se atraen.

Y otra propiedad más se comprueba al colocar frente a frente dos polos magnéticos del mismo signo: veremos que se repelen. A partir de esto se obtiene la ley según la cual *los polos contrarios se atraen, los iguales se rechazan*.

Con estos conocimientos fundamentales sobre las cargas positivas (+) y negativas (—), podemos ver qué sucede con la electricidad allá arriba, en las nubes, pues ahí es donde se producen los relámpagos, los rayos y los truenos.

Una nube está formada por muchísimas gotitas de agua. Cuando se unen entre sí, crecen y aumentan de peso. Entonces caen en forma de lluvia. Algunas gotas tienen carga eléctrica positiva (+) y otras la poseen negativa (—).

A veces, un grupo de gotas con carga positiva se acerca a otro cargado negativamente. Se provoca un enorme chispazo eléctrico: es el relámpago saltando de un grupo a otro. También aquí los signos contrarios se atraen.

Lo mismo puede suceder entre dos nubes que se acercan demasiado. Si un grupo de gotas de agua tiene carga positiva (+) en una nube y en la otra hay gotas con carga negativa (—), inevitablemente salta un rayo entre ambas.

En ocasiones, el rayo salta desde una nube al suelo. Esto se debe a que la tierra y el grupo de gotas de agua de la nube se atraen porque tienen cargas eléctricas contrarias.

El rayo es poderosísimo y muy peligroso.

Ya sabemos algo sobre el rayo y el relámpago. Veamos cómo es la tormenta y todo ese conjunto de ruidos y truenos capaces de asustar a muchos. Pues bien, la tempestad es muy ruidosa, pero no debemos temerla por ello.

El trueno se produce por un fenómeno particular del aire. Éste se compone de pequeñas partículas llamadas *moléculas*. Cuando el rayo salta de una nube a otra o al suelo, provoca calor y acelera la velocidad de las moléculas.

Las moléculas del aire caliente chocan con las del aire frío y crean una onda muy grande; ésta provoca el trueno de la tempestad que escuchamos siempre luego del relámpago.

Así pues, la tempestad es sólo mucho ruido.

Hagamos un repaso de todo cuanto hemos visto hasta aquí: las gotas de agua de una nube pueden tener carga positiva o carga negativa; cuando dos contrarias se aproximan, salta una chispa eléctrica y vemos el relámpago.

Este chispazo eléctrico es el rayo que, al producirse, calienta en forma muy intensa las moléculas del aire; éstas, al chocar entre sí, generan una vibración tan violenta que conmueve el aire y ésa es la causa del trueno.

Por fin sabemos qué provoca el relámpago y el trueno.

Ahora ya sabemos un poco más de la naturaleza.

El rayo es peligroso, pero no olvidemos que contamos con el pararrayos para protegernos de él.